小布叮早教引导：

我把小手洗干净

人民东方出版传媒
东方出版社

小布叮早教专家委员会 ／ 著

Y0-BSM-312

图书在版编目（CIP）数据

小布叮早教引导. 我把小手洗干净 / 小布叮早教专家委员会 著.
—北京：东方出版社，2013.6
（小布叮系列）
ISBN 978-7-5060-6247-3

Ⅰ.①小…　Ⅱ.①小…　Ⅲ.①学前教育—教学参考资料　Ⅳ.①G613

中国版本图书馆CIP数据核字（2013）第079463号

小布叮早教引导：我把小手洗干净
（XIAOBUDING ZAOJIAO YINDAO: WO BA XIAOSHOU XI GANJING）

作　　者：小布叮早教专家委员会
责任编辑：杜晓花
出　　版：东方出版社
发　　行：人民东方出版传媒有限公司
地　　址：北京市东城区朝阳门内大街166号
邮政编码：100706
印　　刷：北京市雅迪彩色印刷有限公司
版　　次：2013年6月第1版
印　　次：2013年6月第1次印刷
印　　数：1—12000册
开　　本：889毫米×1194毫米　1/20
印　　张：1
字　　数：0.8千字
书　　号：ISBN 978-7-5060-6247-3
定　　价：11.50元
发行电话：（010）65210056　65210060　65210062　65210063

哈哈，宝宝的小胖手真可爱，上面还有一个一个的小窝呢，我来跟你握握手吧！

哎呀，我刚才吃了好多水果，有苹果、香蕉、橘子。

我又捏了橡皮泥，我捏的小象特别好看，不过，亮亮说小象长得像大河马，真是气死我啦！

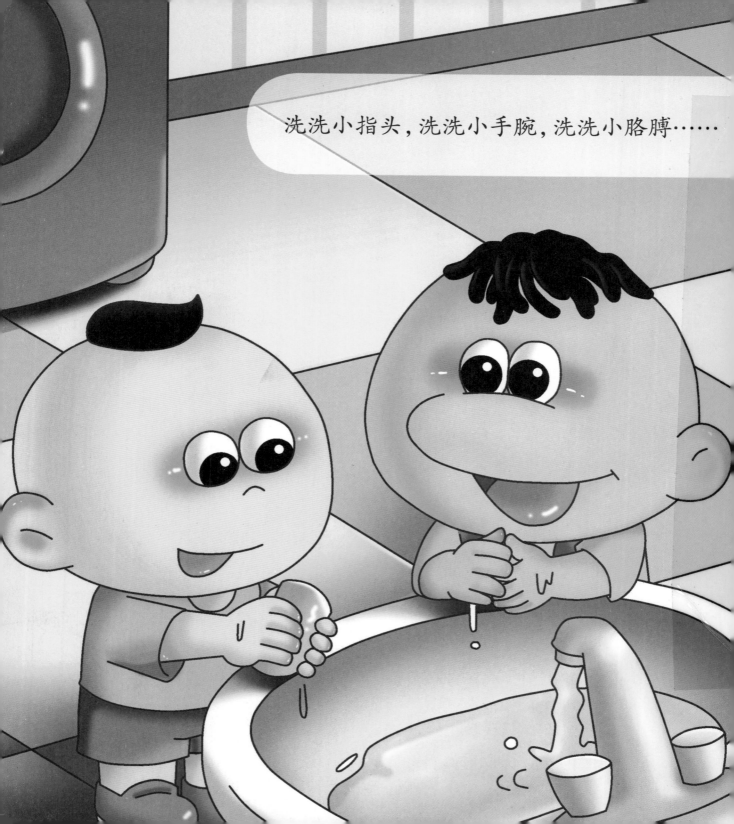

洗洗小指头，洗洗小手腕，洗洗小胳膊……

哈哈，宝宝的小手洗得真干净，我的小手也干净啦。

啊～呜～

哈哈，哪里有可爱的宝宝，哪里就有我细菌大王的小部队！

打败细菌大王

哼，细菌大王真坏，
我和沛沛才不会让你欺负呢！

沛沛，我们现在就用小香皂洗手，哼！把细菌都洗掉！

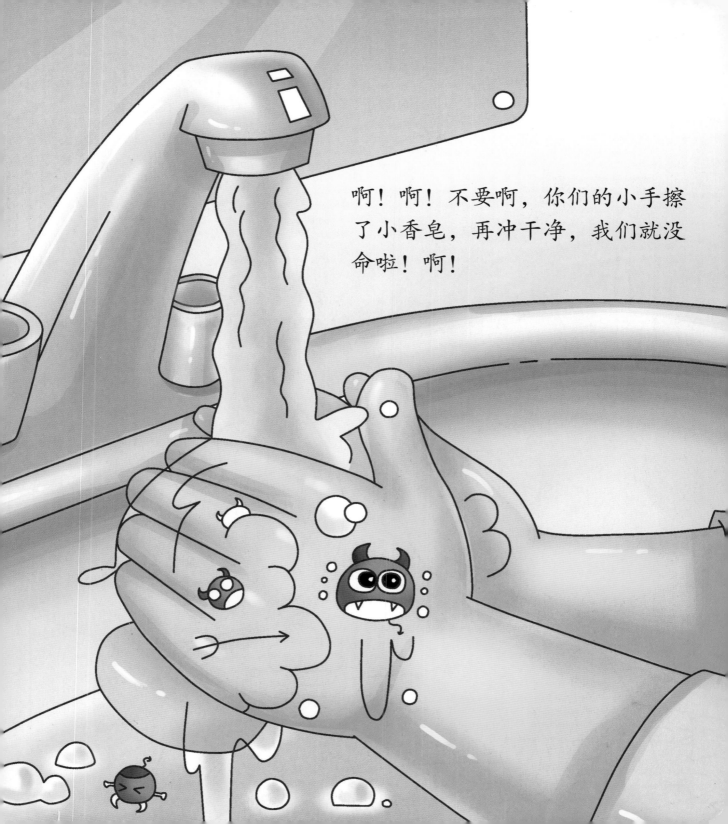

我们一起加油，洗洗左手，洗洗右手，吹吹香皂泡，再用小毛巾擦掉小水珠。